Il était une foi

Infographie : Chantal Landry
Révision : Élyse-Andrée Héroux
Correction : Sylvie Massariol

Catalogage avant publication de Bibliothèque et Archives nationales du Québec et Bibliothèque et Archives Canada

Morency, Pierre, 1966-

Il était une foi

ISBN 978-2-7619-3661-3

1. Succès - Aspect psychologique. 2. Croyance et doute. 3. Morency, Pierre, 1966- . I. Titre.

BF637.S8M67 2013 158.1 C2013-940373-6

02-13

Dépôt légal : 2013
Bibliothèque et Archives nationales du Québec

ISBN 978-2-7619-3661-3

DISTRIBUTEURS EXCLUSIFS :

- Pour le Canada et les États-Unis :

MESSAGERIES ADP*
2315, rue de la Province
Longueuil, Québec J4G 1G4
Téléphone : 450-640-1237
Télécopieur : 450-674-6237
Internet : www.messageries-adp.com
* filiale du Groupe Sogides inc., filiale de Québecor Média inc.

Pour la France et les autres pays :
INTERFORUM editis
Immeuble Paryseine, 3, allée de la Seine
94854 Ivry CEDEX
Téléphone : 33 (0) 1 49 59 11 56/91
Télécopieur : 33 (0) 1 49 59 11 33
Service commandes France Métropolitaine
Téléphone : 33 (0) 2 38 32 71 00
Télécopieur : 33 (0) 2 38 32 71 28
Internet : www.interforum.fr
Service commandes Export – DOM-TOM
Télécopieur : 33 (0) 2 38 32 78 86
Internet : www.interforum.fr
Courriel : cdes-export@interforum.fr

Pour la Suisse :
INTERFORUM editis SUISSE
Case postale 69 – CH 1701 Fribourg – Suisse
Téléphone : 41 (0) 26 460 80 60
Télécopieur : 41 (0) 26 460 80 68
Internet : www.interforumsuisse.ch
Courriel : office@interforumsuisse.ch
Distributeur : OLF S.A.
ZI. 3, Corminboeuf
Case postale 1061 – CH 1701 Fribourg – Suisse
Commandes :
Téléphone : 41 (0) 26 467 53 33
Télécopieur : 41 (0) 26 467 54 66
Internet : www.olf.ch
Courriel : information@olf.ch

Pour la Belgique et le Luxembourg :
INTERFORUM BENELUX S.A.
Fond Jean-Pâques, 6
B-1348 Louvain-La-Neuve
Téléphone : 32 (0) 10 42 03 20
Télécopieur : 32 (0) 10 41 20 24
Internet : www.interforum.be
Courriel : info@interforum.be

Gouvernement du Québec – Programme de crédit d'impôt pour l'édition de livres – Gestion SODEC – www.sodec.gouv.qc.ca

L'Éditeur bénéficie du soutien de la Société de développement des entreprises culturelles du Québec pour son programme d'édition.

Conseil des Arts du Canada   Canada Council for the Arts

Nous remercions le Conseil des Arts du Canada de l'aide accordée à notre programme de publication.

Nous reconnaissons l'aide financière du gouvernement du Canada par l'entremise du Fonds du livre du Canada pour nos activités d'édition.

Pierre Morency

Il était une foi

Une société de Québecor Média

Comment utiliser ce recueil

Dans ce livre, je partage avec vous mes réflexions, commentaires et expériences sur des sujets variés concernant la spiritualité, la famille, la carrière, la vie personnelle. Je vous révélerai des bribes de mon histoire, de ces événements qui m'ont nourri au fil du temps, qui m'ont amené à comprendre certaines choses. Je vous propose d'aborder ces sujets l'esprit bien ouvert, prêt ou prête à vous confronter à vous-même et à laisser vos croyances se faire bousculer.

Lisez ainsi un ou deux textes par jour (certains sont brefs, mais riches en concepts), puis méditez sur vos points de vue face à ce qui vous est présenté. Vous pourrez noter vos réflexions à la fin de chaque chapitre, dans les pages prévues à cet effet.

Voyez enfin comment vos trouvailles vous amèneront à modifier vos comportements et vos habitudes dans diverses sphères de votre vie.

Bonne lecture !
Pierre

Pour commencer, un aparté

Selon moi, tous les êtres humains, au cours de leur vie, devraient apprendre et maîtriser trois sujets :

1. La physique

(« Écoutez donc Morency, le supposé scientifique qui défend Einstein ! ») Pour comprendre les lois qui régissent le grand jeu de la vie.

2. L'anatomie

Parce que la deuxième des sept Lois du succès (voir à ce propos mon livre *Demandez et vous recevrez*), soit la Loi des analogies, dit que ce qui est « en haut » est comme ce qui est « en bas ». Donc, vous n'avez qu'à comprendre votre corps pour comprendre tout le reste.

3. L'étymologie

Les mots et le sens des mots. Parce que les mots, c'est la vibration divine.

Fin de l'aparté.
Faites-en ce que vous voudrez.

Avant-propos

Les gens normaux s'enferment dans les croyances définies par les fous.

Les fous détruisent les croyances des gens normaux.

Ce livre est pour vous si vous cherchez la paix de l'esprit. Si vous en avez assez de planifier, de calculer, de vous sentir stressé. Oubliez vos attentes ; ce livre est là pour vous dire que vous avez déjà tout perdu. Ainsi, vous n'avez ***plus rien à perdre !*** Lorsqu'on n'a plus rien à perdre, on a ***tout*** gagné !

Vous êtes heureux ? Tout va bien ?
Brûlez ce livre, il n'est pas pour vous.

Il vous manque quelque chose ?
Vous ne dormez pas bien ?
Vous n'êtes pas en paix ?
Alors, lisez.

Toutes les histoires commencent de la même manière : « Il était une foi... » Dans la vôtre, il ne manque peut-être que Dieu. Il ne manque peut-être que vous-même.

Introduction

Il était une fois un petit bonhomme chétif. Un petit Pierre. Un petit caillou.

En février 2012, je suis mort. Presque. À la suite d'un accident de voiture. Aujourd'hui, je suis. Maintenant. Enfin.

Toute ma vie, je me suis arraché le cœur à chercher le bonheur. Je l'ai trouvé. Je l'ai trouvé après un accident de voiture. Sérieux ! Je l'ai trouvé en abandonnant mon arrogance. En me permettant, devant tous, d'être moi. Juste moi. Limité. Mais rempli d'amour pour Dieu.

Oh ! attention, mes tabarouettes ! Je ne parle pas d'amour aveugle et inconditionnel pour un barbu omnipotent qui, dans son infinie bonté, nous attend avec une batte de baseball parce que nous avons, durant notre existence sur terre, écrasé trois ou quatre fourmis ! Non. Dieu. Celui qui est partout. Et comme Dieu est partout, on peut le trouver aussi bien dans un bar de danseuses nues que devant une croix.

Si mes croyances vous font peur, allez vous mettre à genoux au confessionnal et faites semblant. Dans ce livre, on se dit les vraies affaires. Ça, c'est l'avantage de frôler la mort. Sapristi qu'on s'en fiche, après, de ce que le monde croit, pense, dit. On s'en fiche. Je m'en fiche.

Voilà ! Je suis moi. Transparent. Enfin. J'aime Dieu. Partout. Sans jugement. Et j'utilise maintenant le mot *Dieu*. Avant, j'aurais eu peur de me faire accuser de diriger une secte ou de chercher à endoctriner mes interlocuteurs.

Mais attendez ! Si le mot *secte* signifie « groupe d'individus partageant les mêmes croyances », vous êtes tous dans une secte ! La secte du bureau, la secte des assurances, la secte de la peur, la secte de la ceinture de sécurité et du casque de vélo ridicule qu'on impose à nos enfants (ça me fait rire : chaque fois que j'en vois un, je pense aux Oraliens).

Moi, je suis dans la secte de ceux qui croient en Dieu. Je me fous de ce qu'on en dit. Parce que lorsqu'on fait confiance à Dieu, on peut jouer. Pour de vrai.

Vie spirituelle

La religion et les croyances

Les Prions en Église

Quand j'étais tout jeune, j'aimais beaucoup aller à l'église. Un jour, mon père m'a donné un costume de prêtre. Moi, après l'école, je ne jouais pas à Superman, à Batman ou à Flash Gordon. Je jouais au prêtre. (Fou, le gars ? Ouais, un peu.)

Je n'ai collectionné qu'une seule chose dans ma vie (à part peut-être les coups de poing dans les murs de plâtre) : les *Prions en Église*. Plusieurs centaines d'exemplaires. Pourquoi ? *I don't know, I don't care*. J'aimais ça. À mon avis, ils contenaient les plus belles histoires.

Noël pour moi, durant l'enfance, c'était chanter à la messe de minuit, dans la chorale. D'abord soprano, puis alto (ouf !), puis ténor. Les chants, le latin. *Rosa rosa rosam rosae rosae rosa*. La prière. Dieu.

Comment expliquer cette attraction pour le divin ? Je ne sais pas. Tout ce que je sais, c'est que, pour moi, ça goûte quelque chose. Et, honnêtement, après quatre voyages en Inde, j'ai compris que ça goûte quelque chose pour quiconque se donne la peine d'essayer, d'explorer, sans tenter de prouver, d'appuyer ou de détruire. Juste pour trouver la paix de l'esprit.

Mais tenter de trouver la paix de l'esprit, ça fait peur. Ça fait vraiment peur ! (C'est peut-être pour ça qu'en Inde, on a toujours le va-vite !)

Le Tao

Au bout de presque trente ans de recherches, d'expériences et d'insomnie, une grande vérité s'est imposée à moi. Le succès, et la route qui y mène, s'accompagne invariablement de deux produits résiduels : le stress et l'anxiété. Vous êtes stressé ? Bravo. Ça veut dire que vous progressez. Vous progressez sur les axes personnel (santé, bien-être, etc.), professionnel (dans lequel il s'agit d'offrir son talent) et familial. Autrement dit, lorsqu'on réussit personnellement, au travail et dans sa vie familiale, on récolte toujours plus de stress et d'anxiété.

Alors, qu'en est-il de la croyance selon laquelle pour être heureux, il faut avoir des moyens frugaux, aider les autres, créer des fondations, faire la charité ? *Bullshit !* Vous n'y êtes pas du tout. Le bonheur, c'est pas ça. En tous cas, pas dans mon livre à moi.

Pourquoi ? Parce que Dieu est partout, et qu'il est plus facile de le trouver lorsqu'on s'entoure de beauté. Pourquoi croyez-vous que la nature soit aussi majestueuse ? Les aurores boréales, les yeux d'un lionceau, l'odeur d'un bébé...

Ça, ÇA, c'est Dieu.

Nous, les humains adultes, sommes trop niaiseux pour comprendre que Dieu n'a jamais exigé qu'on souffre, qu'on s'entoure de pauvreté et de laideur. Il demande simplement qu'on lui donne le volant de la voiture.

Le Tao, ou équilibre, constitue l'objet de la quête dans laquelle l'humain s'engage pour réussir sa vie. Être en santé, à l'aise financièrement, avoir des enfants qui nous aiment. En fait, l'important, tout au long du parcours, c'est d'avancer en acceptant ses limites et contraintes, et de comprendre que celles-ci sont éphémères, que les moments difficiles, les obstacles ***ne durent pas***.

Que tout est temporaire.
Temporaire.

Un de mes maîtres, à qui je dois beaucoup, m'a un jour dit : « Du calme, Pierre. Pour qui tu te prends avec tes livres, tes spectacles, tes affaires ? Tout ça, c'est temporaire. C'EST TEMPORAIRE. » Ce fut une révélation. Et la quête, une fois qu'on a eu cette révélation, fait moins peur. Le succès est envisageable. Les obstacles cessent d'être insurmontables.

Aussi, je ferai pour vous ce que cet homme a fait pour moi. Allons-y :

Vous vous trouvez trop gros ou trop grosse ?
Du calme, c'est temporaire.

Vous n'avez pas trouvé l'amour de votre vie ?
C'est temporaire.

Vous avez perdu un bras ?
C'est temporaire.

Les Canadiens de Montréal ont perdu ?
C'est temporaire. (Quoique ça...)

Votre femme est fâchée contre vous ?
C'est temporaire.

Vos enfants ne sont pas polis ?
C'est temporaire.

Vos actions en Bourse sont à la baisse ?
C'est temporaire.

Vous êtes marié ?
C'est temporaire. (Oups !)

Vous ne vous entendez pas bien avec
vos parents ?
C'est temporaire.

Vous réussissez dans le domaine commercial ?
C'est temporaire.

Vous êtes amoureux?
C'est temporaire.

Vous êtes en instance de divorce ?
C'est temporaire.

Vous croyez avoir touché le fond du baril ?
C'est temporaire.

Vous avez faim ?
C'est temporaire.

Vous voulez changer d'emploi ?
C'est temporaire.

Vous avez du succès ?
C'est temporaire.

On rit de vous ?
C'est temporaire.

Votre voisin vous fait ch... avec sa tondeuse
le dimanche matin ?
C'est temporaire.

Votre petit ne fait pas ses nuits ?
C'est temporaire.

Votre mari ne baisse pas le siège
de la cuvette ?
C'est presque temporaire.

Et une fois qu'on a compris que tout
est temporaire, ***c'est permanent.***

Les murs

Arrêtez-vous un instant. Arrêtez votre mental.

Où êtes-vous actuellement ? Disons que vous vous trouvez à l'intérieur, dans une pièce de votre maison ou au travail. Ou dans un lieu public, un café par exemple. La pièce dans laquelle vous vous trouvez, qu'elle soit grande ou petite, se termine à un moment donné. Elle a des limites. Qu'est-ce qui définit la pièce dans laquelle vous êtes ?

Allez, vous êtes mûr pour la réponse. Mûr. Oui, les murs !

Imaginez maintenant que le siège sur lequel vous êtes assis pendant que vous lisez est propulsé à cent kilomètres en hauteur. Vous voilà dans les airs, sans plus de murs autour de vous. Êtes-vous le ou la même ? Qu'en est-il de votre réalité ? Vous êtes pourtant la même personne. Rien n'a changé que votre altitude.

Vous avez le vertige ? Voilà.

Comprenez ceci : votre vie est définie, littéralement, par les murs que vous placez autour de vous pour vous comprendre vous-même.

Mais des murs, ça se change.

Les jugements

Vous, les humains, vous êtes complètement dans le champ. Je suis aussi un humain, j'ai des failles, des manques. Même que des fois, j'ai l'impression de ne pas avoir atteint l'âge de raison. Et je trouve la plupart des humains faux. Vous attendez que quelqu'un soit mort pour enfin lui rendre hommage. Vous parlez d'amour inconditionnel, mais vous y mettez des conditions. Votre bébé vomit et vous le changez, pas de problème. Votre mari arrive fin soûl à deux heures du matin, et lui, c'est un écœurant. Bravo. BRAVO.

J'ai beaucoup de colère en moi. Trop de colère. À cause des jugements. ***Juge + ment.***

Lorsqu'on juge, on ment. À qui ? À soi-même. Qui d'autre ?!

Vous croyez que je pète ma coche ? Vous avez raison. La colère est permise, surtout lorsqu'elle s'exprime pour vaincre les satanés jugements. Fâchez-vous lorsque vous êtes témoin d'une injustice. Mais ne jugez pas.

Ma colère à moi, elle est terrible lorsque je suis témoin du jugement contre l'amour ! Selon moi, toute marque d'amour est bonne. ***Toute marque d'amour sincère et authentique est bonne.*** Pas de « je, me, moi ». Si une marque d'amour transforme une vie, un corps, une situation, elle est bonne.

Durant ma vie, j'ai goûté à beaucoup de souffrances. Les miens ont souffert, terriblement. J'ai vécu, vu et entendu beaucoup de détresse. Mais je ne juge pas. Ou plutôt, je ne juge plus.

Vous connaissez la série *Star Trek, The Next Generation* ? Il s'agit d'une de mes grandes sources d'inspiration. J'aimerais tellement naviguer sur l'*Enterprise* sous la direction de Jean-Luc Picard ! (Assez enfant, le Morency, non ? Pff !) Dans un épisode, un crime est commis. Au moment du procès, c'est la victime qui est le juge, le juré et l'avocate. C'est la victime qui doit prononcer la sentence. Si la sentence contre l'accusé est trop sévère, la victime elle-même devra « payer pour » dans sa prochaine vie. C'est la loi de l'action-réaction. À la fin, la victime pardonne. Alors le criminel se transforme en serviteur.

Je prie pour que nous nous dirigions vers ce type de système. Les criminels n'attendent qu'une chose : le pardon de leur victime. Sinon, même après trente ans de taule, ils recommenceront. Pour ensuite espérer se faire pardonner.

Je crois profondément que vous serez aux premières loges le jour du jugement dernier. Une heure avant de mourir, vous allez vous juger vous-même. Vous allez vous rentrer dedans. Pas le barbu, VOUS ! Aussi bien le faire pendant que vous êtes en vie. Le mot sanskrit *jivanmukta,* que l'on retrouve dans de nombreux textes classiques de la littérature indienne, signifie « âme libérée durant cette vie ». Pas après la mort. Pendant la vie. C'est ce que les chrétiens appellent la *seconde naissance.*

Des crimes graves ont été commis contre ma famille. Et si je voyais les criminels (à qui j'ai voulu à une certaine époque, je l'admets, arracher la tête), je ne les frapperais pas, je les prendrais dans mes bras. Ce n'est pas présenter l'autre joue. C'est offrir au fautif une chance de ne pas frapper l'autre joue, de ne plus frapper aucune joue.

Pour renaître, il ne faut pas se pendre, mais mourir à ses propres jugements. Et pour y parvenir, il faut… se pardonner.

Le pardon

Le pardon, ça commence par un don. Un don à vous-même. Le don de votre franchise.

Vous n'êtes pas parfait. Je sais, on croit tous l'être. Mais non. Vous aussi, vous vous fouillez dans le nez au mauvais moment. Vous aussi, vous croyez que personne ne vous regarde quand vous réajustez vos bobettes qui sont entrées un peu trop loin dans la craque de vos pantalons. Alors, pardonnez-vous.

Par + donnez + vous.

Vous, tout seul, sans prêtre, sans église ni Église, sans jugement. Faites-le ici et maintenant. Ensuite, pardonnez aux autres. « Qu'ils mangent de la ma... ! » vous exclamez-vous peut-être. Qui, ça ?... Bon, on y arrive.

Videz-vous le cœur. Qui sont les écœurants de votre vie ? Vous ne trouverez jamais la paix tant que vous traînerez cinquante kilos de haine, de hargne, de colère et de rancune. Alors, je répète : Qui sont les écœurants de votre vie ? Allez, écrivez leur nom. Engueulez-les. Collez des photos de ces gens à un mur et lancez-leur des fléchettes. Videz-vous le cœur. Videz-vous le cœur une fois pour toutes ! Alors, votre cœur sera disponible pour vous. Votre haute pression va disparaître, votre stress va s'envoler, votre poids va diminuer. Vos boucliers vont tomber. Vos masques aussi. (Tiens ! *Les masques tombent,* un bon titre de livre, ça !) Vos croûtes vont disparaître. Vous goûterez la mie, l'ami.

Et alors votre cœur battra pour les bonnes raisons.

Laissez tomber la haine... Sinon, c'est ***vous*** que vous laisserez tomber.

Les poubelles

Ne vous sauvez pas ! Nous parlons vidanges. Vie d'ange. *Cute,* non ? Pas juste un jeu de mots. Un jeu de maux.

Un ange, ça ne se cache pas dans un temple ni dans une grotte. Ça ne fuit pas pour sauver ses fesses. Ça ne ramène pas TOUT à sa propre personne. Ça ne juge pas. Ça pardonne.

Les VRAIS anges, ça descend où ça pue, et ça nettoie. Ça frotte. Ça permet les erreurs. Ça chante pendant que ça lave la vaisselle des autres. Les vrais anges viennent vous chercher quand vous n'allez pas bien.

C'est ce que je crois.

Ce que je vois.

Ce que je sais.

Dieu… et l'autre

Il était une foi…
Dieu.
Krishna.
Jésus.
Bouddha.
Allah.
Thor.

La même personne.

Vous-même avez plusieurs noms. Vous êtes mère, fille, sœur, cousine, collègue, père, fils, conjoint. Ce n'est pas parce que vous avez plusieurs noms que vous êtes plusieurs personnes.

Dieu est un. Avec différents axes, différentes qualités. MAIS UN. Vous, moi, Dieu, UN. Ouvrez vos yeux !

Jouer comme Dieu

Nous travaillons, nous mangeons, nous tentons de tout faire pour être heureux. Mais nous oublions, vous oubliez, de jouer à Dieu.

« Papa, nous disent nos enfants, je veux mettre une cravate comme toi. Manger la même chose que toi. M'asseoir comme toi. Parler comme toi. Travailler avec toi. » Pour nos enfants, nous sommes Dieu. Et Dieu, son plus grand plaisir, c'est de donner.

Je l'ai constaté en Inde, par exemple. Là-bas, avec 10 $, on peut changer une vie. Pour 10 $, ou 100 $, on reçoit des câlins de dizaines d'enfants. Donner comme Dieu, quel privilège !

Il faut réapprendre à donner. Vous tous, et moi aussi. Il n'y a rien que vous puissiez recevoir qui vous apportera autant de plaisir que de donner, outre vous accorder à vous-même le plaisir de donner.

Le diable, notre meilleur ami

Un chien de garde. Voilà le rôle du diable. Un chien de garde. De la main gauche. Celui qui fait le sale boulot. Pitbull. Doberman.

Le diable, ce n'est pas un salaud ni un ennemi, c'est le contrepoids. En fait, ce n'est pas le diable qui fait le mal, c'est l'humain. C'est nous tous. Le rôle du diable, qui qu'il soit, c'est de nous rappeler à l'ordre lorsque nous dépassons les limites. Quelles limites ? Celles que nous avons établies, individuellement, selon notre code de conduite, notre code moral.

Le diable, c'est celui qui arbitre le match de la vie. L'arbitre, si vous charriez sur la patinoire ou sur le terrain de soccer, il vous donne une pénalité. Et si vous persistez, il vous donne une inconduite de partie.

Le diable n'est pas le mal, il protège contre le mal, en incarnant ce que nous avons nous-mêmes défini comme le mal.

Prier...

Prier, c'est le langage intérieur.

Vous priez sans arrêt. Chaque fois que vous vous parlez à vous-même, vous priez.

Tout monologue intérieur est une prière. Vous priez quand vous utilisez votre intellect pour réfléchir à quelque chose, pour cerner un concept, pour mettre en mots quelque chose que la vie vient de vous apprendre.

Au fond, vous ne pouvez adresser vos prières qu'à vous-même.

... et méditer

Souvent, les gens me demandent pourquoi je parle de méditation. En fait, je ne parle pas de méditation, je parle de ***médiation***. Médiation entre vous et votre cerveau.

Nous faisons partie de la terre. Vos pensées ont une influence sur les autres. Méditer, ou « être zen », c'est calmer son mental. Zen. Vous savez quelle est l'origine de ce mot ? Zen vient de la prononciation du mot *dhyâna,* qui signifie « atteindre l'état où le mental est calme ». À l'orientale, on prononce ce mot « dzen ». Ou zen. Fou, non ?

Vos pensées ne sont pas sans impact. Tout ce que vous pensez doit immanquablement vous revenir. C'est la LOI. Voilà pourquoi il faut apprendre à contrôler ce à quoi on pense. Plus on médite, moins on nourrit les problèmes.

Les mantras, les yantras et le tantra

Dieu, dans son infinité, décide un jour de s'observer lui-même. (Désolé, madame, si j'utilise le masculin. En fait, je crois que Dieu est une dame. Un homme ne pourrait pas avoir en lui autant d'amour et de beauté.)

Tout d'abord, il émet un son. Ce son, c'est le **OM**. C'est le verbe qui se fait chair. C'est le mantra. L'énergie vibratoire. La même vibration qui fait bouger les électrons autour des protons, l'énergie qui fait que tout bouge, que tout tourne. C'est une onde.

Ensuite, ce son se cristallise et prend une forme. Un *bindu visarga*. Un yantra. Une image. Un point d'ancrage.

Un yantra, c'est comme un tatouage. Un totem. Une image qui permet au son de vibrer. (Tiens, j'irai me faire tatouer. Je me ferai tatouer l'image de Kâlî Ma, la déesse hindoue, la mère de l'univers.) Pourquoi, selon vous, dans de si nombreux peuples spirituellement avancés, en accord avec les traditions, on se trace des lignes sur le front ou un point entre les yeux ? Pour vibrer !

Enfin, mantra et yantra, pour fonctionner, suivent un procédé de manifestation qu'on appelle *tantra*. Le vrai tantra, c'est pas une affaire de fesses C'est une méthodologie rigoureuse grâce à laquelle on parvient, lorsqu'on s'y engage, à se défaire de ses faiblesses et de ses limites, et à retrouver Dieu en soi.

Une anecdote en passant. Même si ç'a fait capoter ma femme, j'ai permis à ma fille aînée de se faire tatouer à 13 ans. Deux dragons dans le bas du dos. Après tout, la peau, comme tout le reste, c'est temporaire ! C'est peut-être pour ça qu'on veut y inscrire quelque chose de permanent. Songez-y.

Les peureux font des marques sur les murs des toilettes, sur un tronc d'arbre ; des graffitis. Les vrais, ils le font sur leur peau. Bravo, ma belle. Et hop ! Une autre leçon dans la face à papa.

L'Inde

OK, je sais. L'Inde, les gourous, les mantras, l'eau sacrée. C'est *fucké* solide. Mais vous savez ce qui est encore plus *fucké*? VOUS! Oui, vous, qui vous croyez éternel! *Trust me,* on n'est pas éternels. Et la Terre, ou Ma Gaïa, est plus importante et plus intelligente que nous, simples personnes, qui croyons tout contrôler.

La Terre, tout comme nous, a des organes. L'Inde, c'est son cœur. Voilà pourquoi on ne va pas en Inde sans être profondément métamorphosé.

Ça fait quatre fois que j'y vais. La première fois, c'était pour prouver, en tant que scientifique prétentieux, que les Indiens, les hindous et tous ceux qui croient au caractère sacré de ce pays et de ses traditions sont tous des ost… de fous. La deuxième fois, j'ai été incroyablement malade. La troisième fois, j'ai été éveillé. Et à mon dernier voyage en Inde, j'ai été émerveillé. Pas éveillé, **émerveillé**. Et mère veillé ! Voilà ce qui se passe quand on voit Dieu en pleine face.

J'ai fait ce voyage avec un groupe de trente personnes. Trente fous. Avec moi, trente et un. Mes trente fous et moi avons sauté dans le Gange. Une mère ne ferait jamais de mal à ses enfants, je me disais. Et la mère divine, pour moi, ça existe.

Là-bas, on enlève ses chaussures en signe de respect. Ces gens, que des personnes mal intentionnées traiteraient de va-nu-pieds, ont peut-être compris certaines choses. Ne dit-on pas que les meilleurs cordonniers sont toujours mal chaussés ?

J'ai perdu passablement de poids en quelques jours et même en quelques heures. Pour rapporter de ce voyage des preuves et de l'espoir. J'y ai aussi perdu mon énorme stress mental, après avoir bu une bonne gorgée de l'eau la plus polluée sur Terre, un transfert de *shakti* (puissance, force) de la mère divine, et pataugé à travers les restes de cadavres. Mais j'avais confiance en Dieu.

Vous ne me croyez pas ? j'ai des photos.

Oh ! Et en passant, ne venez pas me demander de vous sauver. J'ai bien assez d'essayer de me purifier moi-même. Toute une job, croyez-moi !

Jaya Ma Ganga, ou croire n'importe quoi

Cinq mois avant l'accident de voiture qui a failli, au début de l'année 2012, me coûter la vie. Un corps brisé. Un corps qui tente de se refaire. À Vârânasî, la ville des morts (fouillez sur Internet).

On m'avait dit : « Pierre, tu dois guérir. Prends ces pilules. » Je n'ai jamais cru aux pilules. *Sorry*. Je n'ai pas pris de médicaments après mon accident. Je me suis refusé à prendre quelque chose qui s'appelle « anti-vie » (anti + bio).

Je suis encore en vie. Pas de pilules. Juste l'eau du Gange. C'est la foi.

(Attention ! Si vous n'avez pas la foi solide, allez chez le docteur et faites exactement ce qu'il vous dira de faire. EXACTEMENT ! Sans une foi béton, le doc, c'est votre meilleur prêtre.)

« Celui qui croit en moi fera aussi les œuvres que je fais. Il en fera même des plus grandes », disait Jésus. Il avait raison.

D'ailleurs, je me pose une question : il était où, Jésus, entre 12 ans et 30 ans ? Un peu de rigueur, s'il vous plaît ! Ma réponse : il était en Inde, sous le nom de Issa Krishna. À pratiquer la méditation, la respiration et le yoga. À se nettoyer dans le Gange, dans l'utérus de la mère divine.

Croyez ce que vous voulez. Vous avez beau utiliser toutes sortes de gadgets du genre *ab-rolling* machin et vous mettre au pain sec et à l'eau, on ne perd pas du poids sans purifier son corps. Plus important encore, on ne perd pas du poids sans se défaire de ses chagrins intérieurs, de ses colères et de ses rancunes.

Vous croyez que Jésus était privilégié ? Évidemment qu'il l'était, c'est le fils de Dieu. Mais vous l'êtes aussi ! Il l'a dit ! « Nous sommes tous frères et sœurs. » Dans ce cas, faisons comme lui ! Pratiquons la méditation pour calmer notre cerveau en surchauffe. Pratiquons la respiration active (*pranayama*) pour nous nettoyer. Répétons les mantras pour nous énergiser. Baignons notre corps dans l'eau de Ma (le Gange, ou n'importe quel océan) pour nous purifier.

Le problème de l'humain, c'est qu'il gobe n'importe quel concept sans le vérifier. Par exemple, vous croyez que la Lune influence les marées. Vraiment ? Vous connaissez le scientifique Nikola Tesla, véritable génie du millénaire précédent ? Il a découvert que les océans reposent sur des plaques tectoniques. À leur tour, ces plaques sont assises sur des rivières de lave. La Terre tourne. En tournant, la lave bouge parce que la Terre n'est pas tout à fait ronde, elle est oblongue. La lave, en conséquence du mouvement de la Terre, s'étend puis se détend, entraînant le mouvement des marées. Vous comprenez ?

Vraiment ?...

Allez vous chercher un café. S'il vous plaît. Vous en avez besoin.

Maintenant, lisez bien ceci : **tout ce que je viens d'écrire sur les marées est faux!** Bien sûr qu'il y a des plaques tectoniques et de la lave. Bien sûr que la Terre tourne. Mais les marées sont bel et bien attribuables à l'influence gravitationnelle de la Lune. Et des autres planètes, mais surtout de la Lune.

Voilà exactement où est le problème ! Vous êtes prêt à accepter sur-le-champ n'importe quelle prétendue vérité parce qu'une soi-disant autorité en la matière, personne cultivée ou personnalité publique vous l'affirme.

Testez avant d'accepter ! Soyez sceptique, mais ouvert. Ne soyez pas naïf ! Mais ne soyez pas non plus aveugle, reclus, enfermé dans vos peurs.

Voici la preuve que vous gobez n'importe quoi : la grande popularité du feng shui. Votre mari n'a plus d'érection, alors vous mettez deux petits cailloux à l'entrée de votre chambre, une fontaine sur sa tête et une bougie dans son derrière. Hop !

Saviez-vous que la lumière voyage à 300 000 kilomètres à la seconde ? (C'est une valeur arrondie, évidemment. Pour les prétentieux, la vitesse réelle est de 299 792 458 mètres à la seconde.) L'étoile la plus proche de la Terre, le Soleil, est à huit minutes d'ici pour la lumière. L'étoile suivante, Proxima Centauri (ou Alpha du Centaure), tenez-vous bien, se trouve à environ 4,22 années-lumière de nous. Autrement dit, il faut 4,22 années à la lumière, dans sa Ferrari à 300 000 kilomètres à la seconde, pour partir de cette étoile et arriver jusqu'à vos yeux. Vous savez, ce soir d'été où vous avez dit : « Regarde, chéri(e), le ciel est si beau ce soir ! » C'était pas ce soir-là pantoute ! La lumière que vous voyez scintiller a brillé sur ces étoiles il y a quatre ans au plus tôt. Ça en dit long sur l'horoscope !

Il faudra bien un jour que vous cessiez d'avaler n'importe quoi et que vous vous mettiez à tirer ***vos propres conclusions.***

Vos conclusions à vous. Votre vie. Vos règles.

Notes

Vie de couple et de famille

Les relations humaines

Les mères

La joie de vivre (*jaya,* en sanskrit), ça s'apprend. Et pour enseigner la joie de vivre, rien ne vaut l'amour d'une mère. Une mère qui se lève chaque nuit pour ses enfants, qui prépare les lunchs, aide aux devoirs, endure son mari (oui, je parle aussi de moi).

Il existe ***neuf types de mères*** sur terre :

- ***la mère biologique***
- ***l'épouse***
- ***mère Nature***

- ***l'infirmière***

- ***la religieuse***

- ***l'océan***

- ***la maîtresse d'école***

- ***la vache*** (eh oui, la vache ! Le lait est la vraie nourriture. Pas le lait pasteurisé, homogénéisé, conservé ; le vrai lait. Ce n'est pas un hasard s'il est l'aliment préféré des bébés. « Laissez venir à moi les enfants parce que le royaume des cieux est à ceux qui sont comme eux. » Comme eux.)

- ***et, enfin,***
  celle qui exerce le plus vieux métier du monde.

Respectons les mères.
Sans elles, pas d'humains.

Les enfants sont les vrais gourous !

« Vos enfants ne sont pas vos enfants. »
Khalil Gibran

J'ai cinq enfants. En fait, je devrais dire que ma femme en a eu cinq. Parce que nous, messieurs, on n'a pas une grosse job dans cette opération. Une petite contribution au XY génétique, bing bang badabang, mais ce sont elles qui ont la vraie job : grossir, porter, vomir, souffrir, se priver.

Tous les hommes, moi le premier (je dois vous avouer qu'il m'est arrivé d'être un vrai trou de c... dans le passé, croyez-moi), doivent se montrer humbles et reconnaissants devant les mères. Si on ne sait pas les traiter comme de vraies madames, c'est qu'on est une *mad* âme (vous traduirez ça vous-même). Lorsqu'on ne respecte pas les mères, on perd la tête. Il ne m'en reste plus beaucoup, de tête. J'ai trop souvent manqué de respect. Mais pas de jugement.

Voici ce que j'ai pu recueillir au fil de mes observations, durant ma vie de parent.

Les enfants, avant la puberté, ont pour seule priorité le bien-être de leurs parents. Ils iraient même jusqu'à se rendre malades pour que leurs parents soient bien. (Vous trouvez ça dur d'entendre ça ? C'est votre problème. J'ai trop vu de petits qui souffrent parce que leurs parents sont – désolé – niaiseux !)

Les ados, eux, sont là pour vous défier, pour voir si vos mots et vos actions sont cohérents. Vous dites à vos ados: «C'est important d'étudier, d'avoir de bonnes notes. Pour assurer ton avenir.» Vous vous donnez en exemple, leur répétant constamment que ***vous,*** vous avez terminé vos études, vous avez travaillé fort pour y parvenir, vous n'avez pas lâché. Et chaque soir, chez vous, ça s'engueule concernant le manque d'argent. Que croyez-vous qu'ils vont penser, vos ados? Ils croiront qu'ils doivent chercher d'autres pistes, puisque, visiblement, celle dans laquelle vous les poussez ne donne pas de résultats satisfaisants.

Je comprends l'énorme taux de décrochage scolaire chez les jeunes. Honnêtement, si j'étais mon fils, j'aurais décroché. Mes enfants sont des héros.

Nos enfants doivent voir chez nous, adultes, parents, de la cohérence. Si nous leur intimons de faire ce que nous leur demandons, de suivre nos traces, mais qu'en nous observant ils ne voient ni joie, ni paix, ni bonheur, ni confort, ni collaboration, ni rires, **comment voulez-vous que ces jeunes acceptent notre système ?!**

C'est de la *bullshit*. Vive les ados qui se rebellent contre nos règles stupides, contre les préceptes qui ne donnent pas de résultats. Vive les jeunes adultes qui proposent de nouvelles façons de faire les choses.

Vous voulez voir vos enfants heureux? Laissez-les vivre, et améliorez-vous. Vos enfants sont plus forts que vous. Nous, adultes, parents, **nous,** nous avons du pain sur la planche!

Ce sont tous nos enfants

Selon moi, tous les enfants sont égaux. Il faut se faire chanter « papa ! papa ! » par cent enfants de l'Inde parce qu'on leur a donné 100 roupies (2 $) ! Il faut voir un petit bonhomme, debout devant la Mûrti (statue du Bouddha), faire sa liste de demandes comme s'il s'adressait au père Noël !

Mes compagnons d'aventure et moi, au cours d'un voyage, avons amené les enfants de Bodh Gaya voir le temple de Bouddha. Parce qu'ils n'ont pas le droit d'y aller seuls, non. Des étrangers doivent les prendre par la main et les faire passer pour leurs propres enfants.

Je l'affirme : tous les enfants sont égaux.

C'est un des sujets sur lesquels je pique mes plus grandes colères. Surtout lorsque j'entends un quidam clamer que SES enfants sont plus importants que les autres (ce que clament, à un moment ou un autre, tous les parents). Au contraire. Vos enfants ont seulement la « chance » d'avoir vos gènes en eux.

Tous les enfants sont égaux. Et ce sont eux qui vous apprendront les leçons de vie les plus importantes.

Les parents

Mais holà ! Une minute ! Vous, les parents, vous faites de votre mieux. Et vous ne pouvez pas tout prendre sur vous. Qu'ils s'arrangent, vos ados ! Qu'ils se battent. Qu'ils fassent leurs propres erreurs. L'amour inconditionnel, on le déverse sur nos enfants quand ils sont petits. Après, le *deal* change... Cet amour, ce sont les enfants qui doivent l'avoir pour les parents.

Les enfants sont plus évolués que vous, nous, moi, toi. C'est ça, l'évolution. Ils ont en eux les forces et les faiblesses de leurs parents, pour améliorer le mélange. Pour l'épurer.

Ce sont les plus évolués qui doivent soutenir les plus vieux. Pas l'inverse. Après tout, c'est aux nouvelles générations d'améliorer le monde, de décider du cours que prendra son histoire. Pas à ceux qui ont déjà tout fait pour eux, même leur donner la vie.

Et merde !

Les couples

J'ai reçu beaucoup de questions à la suite de la parution de mon livre, *Le cycle de rinçage*. Questions du genre : « Pete, toi, ton couple, ça roule ? » Je vous réponds par un résumé...

Selon ***mes*** croyances, un couple, le mien comme les autres, permet de vivre auprès de quelqu'un qui n'a pas du tout les mêmes points de vue que soi.

Un couple permet de mettre à l'épreuve sa propre authenticité.

Un couple permet de voir si nos fondations sont solides. Si on est prêt ou prête à être vrai.

Un couple permet la pleine fusion, à travers les enfants.

Un couple ***force*** la découverte de son propre rôle de vie.

Un couple empêche la paresse, parce qu'il faut subvenir aux besoins de la famille.

Un couple déclenche et stimule la créativité.

Un couple permet de vidanger ses poubelles sans trop de risques (enfin, un vrai couple).

Un couple permet de se trouver.

Mais il y a différents degrés d'engagement dans le couple. Il y a le couple pour marier les extrêmes, pour faire des enfants qui feront avancer la race. Et il y a le couple avec une personne de même fréquence que soi.

Et le mariage ?

Regardez votre bras. Oui, oui, je suis sérieux. Regardez votre bras. Deux muscles principaux le font fonctionner : le biceps et le triceps. Eh bien, ces deux muscles **ne sont jamais d'accord.** Jamais ! Lorsque l'un se contracte, l'autre s'étire, et vice-versa. Donc, un bras ne fonctionne que parce qu'il s'y exerce un rapport de force, de même puissance, mais opposé. Oui ? Oui !

C'est ça, le mariage. Un rapport entre des forces opposées, de même puissance. Mais ce n'est pas tout. À quoi servirait ce rapport de force s'il n'y avait pas de bras ? Je redemande : à quoi servirait le dualisme biceps-triceps sans bras ? À rien !

Ma conclusion (et faites-en ce que vous voulez) : le seul vrai but du mariage, ou d'un couple, ce n'est pas d'atteindre l'harmonie, l'accord parfait. Ce sont les forces contraires qui le font avancer. Et avancer vers quoi ? Vers l'objectif suprême de l'union de deux êtres humains : faire avancer le train. Faire des enfants.

Voilà ce que je crois. Parce que dans un enfant, il y a la vraie fusion. Celle des corps, des philosophies, des expériences passées, des goûts et des talents. Tout ça mélangé pour de vrai. Les enfants, c'est vous et votre joint (ou jointe) en orgasme. Une fusion totale.

Un couple qui a eu des enfants a réussi. Après, *so what ?*

Les hommes

Voici une page d'égoïste.

Qu'on soit *straight* ou gai, c'est la même chose : les hommes ont peur du toucher. Et pourtant, c'est ce qu'ils recherchent le plus.

Si vous êtes une femme, vous devez comprendre qu'un homme fera n'importe quoi pour quelqu'un qui le touche. Il ira à la guerre, il défiera un autre qui a deux fois sa taille, il endurera les pires tortures s'il sait qu'il sera touché.

C'est bien plus que le sexe. C'est la proximité. La proximité d'un autre humain.

La puberté de la mère Gaïa

Prétentieux, les humains.

L'univers. Quinze milliards d'années. Nous, des amibes.

Cessons de croire que tout tourne autour de nous. Que nous avons une si grande importance. Que ce qui arrive à mère Nature découle obligatoirement de nos bons et mauvais coups.

Quelle arrogance !

Ma
Maya
Marie
Mariage
Macabre
Maternelle
Madame
Marci.

Allez. Ne faisons pas de la vie quelque chose de si sérieux, existentiel, compliqué. Rendons tout ça plus léger. Plus *light*. Comme ça, on va allumer la mère divine qui va tout, **tout régler.**

Notes

Vie professionnelle et commerciale

VOTRE RÔLE DE VIE

Perdez la notion du temps ou perdez votre temps

Depuis la parution du livre *Demandez et vous recevrez,* en 2002, la demande que j'ai reçue le plus fréquemment, c'est : « Pierre, aide-moi à trouver mon rôle de vie. »

Voici donc un résumé :

1. **Si vous aviez tout l'or du monde,** vous feriez quoi, de semaine en semaine, après vous être fatigué des jouets et des restaurants luxueux ?

2. **Quand perdez-vous la notion du temps ?**
(Je ne sais plus quelle heure il est. Je crois que j'écris depuis vingt-quatre heures...)

3. Quel accomplissement vous fait dire à vous-même : « *Shit* que je suis *hot !* » ?

4. Quand les gens vont spontanément vers vous, vous êtes en train de faire quoi ?

La tâche qui vous apporte ce bien-être, cet oubli de soi, cette réussite et cette admiration, c'est ce qu'on appelle votre *don*. Vous n'avez pas eu à vous battre pour l'apprendre, vous y excellez spontanément. Vous ne savez pas pourquoi ni comment. Vous êtes juste bon là-dedans. Tellement bon (ou bonne) que c'en est gênant. Vous avez peur d'avoir l'air prétentieux si vous dites à quelqu'un à quel point cette tâche, cet accomplissement, est facile pour vous.

Voilà ! C'est ça, votre don, votre rôle de vie, votre fonction chez les humains. Si chacun ne faisait qu'exercer son don. **Tout serait automatiquement réglé !** Nous n'aurions plus besoin d'argent, de manipulation, de négociation.

Comment voulez-vous ne pas être heureux quand vous jouez avec votre don ?

Moi, je joue avec mon don. J'écris. Je m'assois et je tape tant que ce n'est pas fini. Et le temps disparaît. Comme pour Ernest Hemingway. Pas que j'aie son talent, loin de là, mais je sais qu'il écrivait sans arrêt en fumant le cigare. Bon, il a été malade une grande partie de sa vie et s'est en fin de compte suicidé à 61 ans. J'espère ne pas finir comme lui, mais vous voyez ce que je veux dire.

Bref, si, chaque matin, lorsque vous ouvrez les yeux, vous ne vous préparez pas à passer la journée à perdre la notion du temps, vous perdez votre temps.

À vous de choisir.

Le don du don

Pourquoi chacun sa tondeuse ? Pourquoi pas une seule pour toute la rue, puisqu'on ne s'en sert qu'une seule fois par semaine ?

La réalité, c'est que nous vivons séparés, alors que ce que nous aimons le plus, c'est être en groupe.

Un jour, mon ami m'a prêté un film. Je n'aime pas trop la télé, mais bon. Il m'a dit : « Regarde ça et ta vie changera. » OK. De toute façon, je suis fou et j'essaie n'importe quoi.

Dans ce film, un homme s'endort. Lorsqu'il se réveille, il n'y a plus personne. Tout le monde est mort. Il est heureux parce qu'il peut conduire une Mercedes, boire un Pétrus et vivre dans un château. Mais après quelques jours, il se suicide. Il se suicide même s'il a accès à toutes les richesses du monde ! Parce qu'il est seul. Tout seul.

C'est pour ça qu'on doit gagner sa vie en faisant ce qu'on aime le plus faire. Donner son don, c'est communier. C'est ça, le vrai sens de la communion. Se relier aux autres.

Si vous n'êtes pas convaincu, enfermez-vous pendant trente jours. Vous verrez que s'ennuyer des autres, c'est pire que manquer d'eau, de sexe, de bouffe, de télé ou de n'importe quoi.

L'indépendance financière

Qu'est-ce qu'ils veulent, nos bons humains du XXIe siècle ? Qu'est-ce qu'ils désirent le plus ? Allez, un petit effort Eh oui ! devenir indépendants de fortune.

L'indépendance financière ? ! Vraiment ? Avez-vous si peur des autres que ça ?...

Alors ça, ça me dépasse ! Enfin, je ne veux pas avoir l'air de vous rentrer dedans, mais ça, ça me dépasse ! Vous croyez vraiment que notre but, en tant qu'humains, en tant que membres d'une société, d'une communauté, c'est d'être financièrement indépendants d'autrui ? Vous croyez vraiment qu'il faille se « protéger » des autres, se mettre à l'abri ?

Si votre corps fonctionnait selon cette philosophie, vous vous seriez désintégré depuis longtemps ! Imaginons un instant que chacune de vos cellules (de véritables petites merveilles) se dise : « Ouais, je pense que je vais mettre en réserve une goutte de sang à la minute, faire des mises de côté pour assurer mon avenir. Quand je serai vieille, j'utiliserai tout le sang amassé. Après tout, je dois me protéger de mes voisins, le cœur, le foie ou la rate ! »

Dit comme ça, vous ne trouvez pas que nous exagérons un peu avec cette notion d'indépendance financière ?

Les REER

Personnellement, je ne crois pas que les régimes enregistrés d'épargne-retraite soient la solution pour nos vieux jours.

Quand on fait un **régime,** on se prive (ça commence bien!). Ensuite, on **s'enregistre** comme mourants. WOW! Mon Dieu, **épargnez**-moi, pauvre zouf, qui, toute sa vie, accepte d'être misérable en attendant trois minutes de joie. RE-WOW!! Et la **retraite,** ça veut dire quoi? Re-traiter, comme dans traiter de nouveau. Vous ne vous êtes jamais bien traité, et là, vous voulez remettre ça?!

Le plus capoté, selon moi, c'est que nous confions aveuglément la gestion de nos mises de côté à des étrangers qui, pour la plupart, n'ont plus rien et se sont recyclés en conseillers financiers. (On enseigne toujours ce qu'on a le plus besoin d'apprendre – je parle en connaissance de cause. Quel cancre je fus autrefois !)

Ne faites-vous pas confiance à **vos propres enfants** pour s'occuper de vos vieux jours ? *Oh boy,* le problème est plus profond que je ne le croyais. Si, à vos yeux, vos enfants ne sont pas le meilleur « régime enfanté d'économies réelles (REER) », alors vous êtes plus fou que moi. Et ça, c'est pas peu dire.

L’héritage

Je comprends votre désir d’engranger des sous et de les garder bien à l’abri jusqu’à votre décès. Je comprends. Sauf que... **c’est ridicule.**

Je m’explique.

On s’accorde pour dire que nos enfants sont la priorité, *right* ? OK. Selon vous, à quel moment a-t-on vraiment, mais là vraiment, besoin d’argent dans une vie ? À 50, 60 ans, quand papa ou maman meurt ? Non. C’est entre 20 et 30 ans. Quand on est niaiseux. Qu’on sort de l’école. Qu’on apprivoise l’économie, la gestion, la nouvelle blonde ou le nouveau *chum,* et la carrière qu'on a dû choisir au cégep, à 17 ou 18 ans (ça aussi, c'est ridicule).

Durant cette période, on tâtonne, on apprend la vie et on fait des enfants. Et qu'est-ce que les petits entendent chaque soir depuis leur chambre à coucher? Des chicanes sur le manque d'argent.

Mais leurs parents auront un héritage de leurs grands-parents! Il est gelé dans un REER, bien sûr, et on ne doit pas y toucher, mais se contenter de vivre avec 10% des intérêts sur le capital investi (10% moins la moitié en impôts!). Pendant ce temps, les nouveaux adultes prennent trois jobs, vivent dans un trois et demi avec leurs jeunes enfants, se chicanent sur les choses les plus élémentaires (comme l'achat d'une maison), finissent par faire une dépression ou par subir un pontage. Et comme, bien sûr, ils ne trouvent pas de gardienne en qui ils peuvent avoir confiance (ou n'ont pas les moyens de s'en payer une !), ils ne se voient plus. Enfin, plus tous les deux, sans les enfants. Alors le divorce n'est pas loin.

Wow ! On l'a, la patente ! Ne vous en faites pas, je ne suis pas mieux que vous. Moi aussi, j'ai gueulé au sujet de l'argent devant mes enfants.

Ne serait-il pas mieux que nous donnions à nos enfants un héritage sous forme de paix de l'esprit ? « Mon gars, je te paye une maison. Elle reste à mon nom jusqu'à ce que j'aie vu que tu te bottes les fesses, que tu lances ton entreprise, que tu prends soin de ta famille et que tu es prêt à veiller sur les vieux jours de ton père et ta mère. »

En plus, les grands-parents, au lieu de moisir dans des centres d'accueil, pourraient passer du temps à jouer avec leurs petits-enfants pendant que papa et maman sortent de temps en temps.

Selon mes petits yeux limités, je préfère ce modèle.

La musique

Vous voulez vraiment être heureux ? Cessez, **cessez de vous disputer et chantez.** Chantez cet air extraordinaire de Jean Lapointe, *Chante-la ta chanson*. Magnifique.

Moi, j'ai traversé vingt-huit ans d'engueulades solides avant de parvenir à comprendre ça. N'avez-vous pas remarqué que lorsque vous chantez, votre cœur s'ouvre ? N'êtes-vous jamais allé dans un bar où des gens qui ne se connaissent pas échangent des coups d'œil complices et finissent par se trouver des affinités, juste parce qu'ils ont fredonné la même chanson ?

Si vous voulez passer un message, faites-le en chantant. Envoyez votre chanson favorite par courriel à la personne que votre cœur veut rejoindre.

Parlons-nous en chansons ! Peut-être alors serons-nous enchantés.

En + chantés !

C'est le seul vrai moyen de s'éclater.

« Papa, comment fais-tu pour rester en morceaux quand tu t'éclates ? » Vive les mots d'enfants ! Ma réponse ? Je chante. Et je tente par tous les moyens de sourire. Quand on sourit, on devient ivre de joie (soûl + rire). Quand on chante, tout redevient beau.

Les anges, lorsqu'ils descendent sur terre, se vêtent d'arts. La poésie, le design, la peinture, l'écriture, mais surtout la musique.

Vous qui cherchez le bonheur et la paix de l'esprit, combien de chansons connaissez-vous ? Pas de na na na nana ! Des chansons au complet, avec les paroles et la mélodie et tout et tout ! Si vous ne connaissez pas (par cœur, sans vous aider de la machine de karaoké) au moins 50 chansons, vous êtes malade. Soignez-vous au plus sacrant !

La vie est courte. Chantez !!

Hare Krishna

Nous vivons dans ce que l'Orient appelle « l'ère de Kâlî ». Kâlî, déesse du temps, de la mort et de la délivrance, mère destructrice et créatrice. Kâlî, c'est une représentation inquiétante de celle qui détruit tout.

Malgré son apparence démoniaque, Ma Kâlî est en réalité la plus aimante des mères. Elle est représentée portant un collier (un *mala*) de crânes et un pagne de bras coupés sanguinolents. Ses bras (elle en a quatre, sept ou dix, selon les représentations), c'est ce que le catholicisme appelle les « péchés capitaux » : luxure, colère, avarice, gourmandise, etc. Ma Kâlî tient d'une main un sabre et d'une autre une tête humaine, et elle danse sur le corps du dieu Shiva. (Ouf ! Il est où, le scotch, quand on en a besoin ? !)

En fait, cette divinité est là pour symboliser les dualités qui existent en chacun de nous, les incohérences qui font la nature humaine. Elle nous encourage à en être conscients et à nous en défaire.

C'est bien beau, mais on fait ça comment ? Encore une fois : on chante. Mais on ne chante pas n'importe quoi.

« Non mais, ils ont-tu l'air fou, ces hommes en couche qui chantent *Hare Krishna* dans les rues ? Belle *gang* de malades. »

C'est ce que vous croyez, n'est-ce pas ?

Moi, je chante ce mantra depuis vingt ans. Même qu'à l'époque à laquelle j'ai écrit *Demandez et vous recevrez,* je passais quatre heures, oui, **quatre heures par jour,** tous les jours, à réciter ce mantra :

Hare Krishna Hare Krishna
Krishna Krishna Hare Hare
Hare Rama Hare Rama
Rama Rama Hare Hare

C'est ce qu'on appelle le *maha mantra,* le « grand mantra ». La formule magique pour bien dormir. *Come on,* ne jugez pas trop vite ! Faites le test. Chantez ce mantra 108 fois par jour, et voyez ce qui se passe dans votre vie.

Vous voulez des preuves ? J'en voulais aussi. J'ai cru, moi aussi, que ces gens étaient tous des fous.

Je suis un grand fan des Beatles. Vraiment. *Let It Be, All You Need Is Love*: des chefs-d'œuvre ! Mais lorsque, plus jeune, j'ai appris que George Harrison avait inséré le *maha mantra* dans sa chanson *My Sweet Lord,* j'ai pris panique. « Non ! Pas mes idoles musicales qui ont pris le champ et qui chantent des affaires religieuses ! »

Eh oui ! Pis ça marche !

Allez voir. Téléchargez la toune *My Sweet Lord* de Big George, et vous verrez qu'à la fin, il a caché discrètement le *maha mantra*. Pour nous donner la piqûre, subtilement.

Et il n'y a pas que lui !

J'ai grandi dans le monde de la *big business,* la haute gomme des affaires. Un de mes héros est Steve Jobs, aujourd'hui décédé ; le fondateur d'Apple, le génie derrière votre iPod, iPad, iPhone. Il a dit qu'une des choses qui l'avaient le plus aidé dans la vie, c'était de fréquenter le temple Hare Krishna, à Los Angeles. Steve Jobs en personne récitant le *maha mantra* ! Un dieu des affaires. Un génie de la science. *Good job,* Steve Jobs. Comme quoi y'a pas que les fous qui sont fous...

Air on a g string

La musique, c'est un cadeau et une punition. Un cadeau, parce que ça inspire. Une punition, parce que ça bouleverse.

Durant toute ma jeunesse, j'ai passé une à deux heures par jour, assis devant un piano droit, à faire des gammes. J'ai détesté.

Mais j'ai appris à adorer Franz Liszt, le virtuose suprême. Moi qui prie la mère divine sous la forme de Kâlî, qui a plusieurs paires de bras... Liszt, lui, devait bien avoir au moins cent doigts qui couraient sur les touches du piano ! La *Rhapsodie hongroise*, trop sublime.

Trop de notes ! (Je n'en suis qu'à la huitième mesure, même après quinze ans de piano !)

Chopin. Les valses. C'est à pleurer de joie. Non mais, quelle sensibilité ! Quelle beauté ! Je crois honnêtement que Chopin s'est réincarné en Claude Léveillée. L'éveillé ! Les mélodies de Frédéric Chopin me rappellent les amours de mes 20 ans.

Bach. Le top. Le moine musicien. Le prêtre des arpèges. *Air on a g string !* Impossible de créer quelque chose de si simple et de si grandiose à la fois. J'adore les *g-strings* (tous les types ahhh !), mais celui de Bach, ouf ! Une variation sublime sur une seule corde. Ça, c'est une leçon de vie.

Dans la vie, nous avons tous un talent, un grand talent. **Naturel. Automatique. Spontané.** Il faut l'enrober, le chérir et, surtout, il ne faut jamais cesser de le mettre au service du monde. Il ne faut jamais cesser de l'offrir.

Le mien, c'est *Demandez et vous recevrez.* Aider les gens par l'entremise des mots, des paroles, des folies, des délires, des aventures, des expériences, des troubles et des plaisirs. Je continuerai à rencontrer les gens et à partager avec eux mes expériences, mes questionnements et mes recherches. Ça s'appelle taper sur son clou. Parce que tant qu'on tape sur le clou, on n'est pas encore couché dans le cercueil.

Les doigts de la main

Un jour, l'index de votre main gauche dit à votre jambe droite : « Je ne te gratte pas si tu ne me donnes pas du sang. Le sang, c'est mon salaire. » La jambe répond : « Je ne contrôle pas ça, je ne peux que marcher. Aussi loin que vous voulez. Pas de problème. J'aime marcher. Mais le sang, je ne sais pas. » Votre index, offusqué, rétorque : « Pas de sang, pas de grattage. Débrouille-toi pour marcher quand même. »

La jambe tente d'obtempérer. Sans succès. La démangeaison devient insupportable. Le corps dépérit. L'index finit par ne plus recevoir de sang. Il s'atrophie et meurt aussi.

Nous ne sommes pas si séparés les uns des autres que vous le croyez ! Nous faisons tous partie d'un même corps.

Le cancer survient quand nous ne nous trouvons pas au bon endroit. Quand nous endossons un rôle de vie qui n'est pas le nôtre, qui ne nous convient pas, qui nous rend malheureux.

Ne demandez pas à recevoir des sous directement de chaque personne pour qui vous jouez votre rôle de vie.

Une érection n'arrive que lorsqu'on commence à bouger. Le sang, ou l'argent, n'est jamais là ***avant*** qu'on commence à exécuter un mouvement... ou à jouer notre rôle.

Notes

Vie personnelle

Dans l'ici et maintenant

Ma phrase préférée

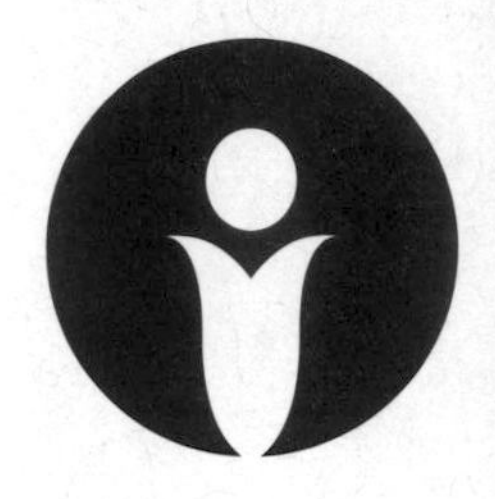

Voici ma phrase favorite, inventée à 2 h du matin entre deux verres de scotch single malt Macallan :

« Pour aller d'un passé imparfait à un futur plus-que-parfait, il est impératif que votre présent soit non conditionnel. Mais ça, c'est pas si simple. »

Pas pire pour un scientifique défroqué...

La télé

Excusez-moi, mais je dois vous brasser. Et puis non, pas d'excuses.

La télévision, c'est un piège.

L'adulte moyen se braque devant le petit écran trente-cinq heures par semaine. **Trente-cinq heures !** Ensuite, vous vous plaignez que vous manquez de temps... Pire encore, vous éduquez vos enfants à l'aide des émissions de télé. Toute une gardienne, les films de Disney, quand vous voulez avoir la paix ! **Et jouer dehors,** vous avez oublié comment ?

Ne me dites pas que vous faites exception. Trente-cinq heures par semaine, c'est cinq heures par jour. Trois bulletins de nouvelles, un film et un téléroman ou une émission de sport.

Vous voulez vraiment retrouver goût à la vie ? Faites l'expérience qui suit. Pendant trente jours (allez, allez, c'est pas un livre de moumounes ; vous n'obtiendrez aucun résultat en deux jours et quart), vous ne regarderez pas la télé, vous n'écouterez pas la radio et vous ne lirez pas les journaux.

« Oui, mais Pierre, je dois le faire pour mon travail ! » **Non.** Pas d'excuses. Vous voulez être heureux ou vous voulez passer votre temps à vous justifier ? Alors, pour trente jours, l'abstinence ondulatoire. **Totale.** Pas de location de films non plus. Pas de cinéma. Ma, la mère divine, on la veut *live,* pas en cinémascope.

Qu'allez-vous faire ?

Vous irez dehors ! Voir les feuilles qui tombent, marcher dans les bois, jouer au ballon avec vos enfants, faire des bonshommes de neige, discuter avec vos voisins et vivre.

Vivre, au lieu de dormir dans votre salon.

Vous m'en donnerez des nouvelles...

Le cocooning, fini. Papillons, dewors !

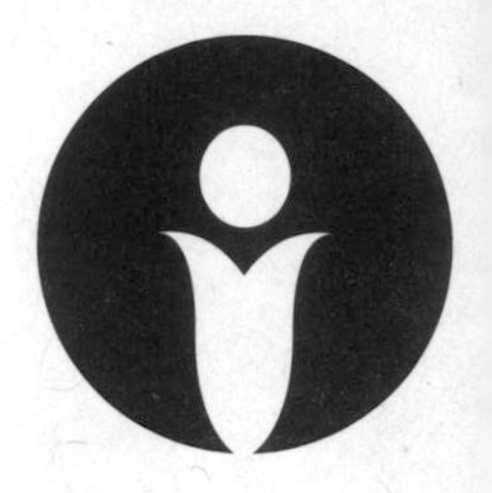

Bon, ça devait arriver : c'est à mon tour de me vider le cœur.

Hé. Hé ! Les êtres humains ne sont pas faits pour être enfermés dans leur maison.

N'avez-vous jamais passé l'Halloween ? N'avez-vous jamais vu les yeux et le sourire d'un enfant qui se costume pour aller récolter des bonbons ?

Quoi, c'est quétaine ? De la marde. Moi, c'est dans ces moments-là que je suis le plus vivant. Moi qui ai été consultant pour les plus grandes sociétés de la terre. Mais vous savez quoi ? Ces clients-là, après le marketing, les études et la *business*, le soir, ils s'ennuient. Ils s'ennuient d'une vie en gang. De sentir près d'eux la présence d'autres humains.

Pourquoi ? Parce qu'en tant qu'êtres hu mains, on doit communiquer. **Au niveau du cœur.** Je me fiche que vous pensiez que c'est *peace and love*. J'ai testé toutes mes théories. J'ai vécu toutes les vies, ou presque. Gérer des entreprises de cent vingt-cinq employés, m'adonner au sport de compétition, les jupons, le yoga, le groupe rock, la plongée sous-marine, le show au Saint-Denis, les apparitions à la télé, le parachute, la course avec les taureaux... J'ai baisé les pieds de gourous que je ne connaissais pas, dormi dans un cimetière, fumé du pot. J'ai tout fait même prendre un enfant dans mes bras pour l'amener devant Dieu, ou simplement lui donner une tranche de pain. Dans un bar, faire un *high five* avec un ivrogne qui a juste envie de se pendre, mais qui choisit finalement de vivre une journée de plus parce que quelqu'un a touché sa main. Dire à une danseuse nue qu'elle a bien fait, que c'est correct. Qu'elle s'est assez sacrifiée et qu'elle peut maintenant passer à autre chose.

Ça, ça goûte la vie. Ça goûte l'eau pure après trois semaines de jeûne dans le désert. Oui, j'ai aussi fait un jeûne de trois semaines. Pour me rappeler à quel point l'eau, c'est bon.

Ces nouvelles technologies...

Le modèle de la société future.

Que nos enfants sont forts ! Nous, nous ne sommes que discrétion, peur et pudeur. Eux, sur les réseaux sociaux, ils publient tout ce qu'ils veulent. Tout. Leurs photos, les détails de leur vie, leurs coordonnées personnelles. Nous, nous croyons encore que nous devons tout cacher. Nous protéger des autres. Nous isoler.

Je crois que nous devons revoir notre modèle, apprendre de nos enfants, être transparents et nous ouvrir aux autres. Difficile, mais possible.

Ne l'oubliez jamais : les enfants sont les vrais gourous. Les meilleurs professeurs habitent dans nos maisons !

En ce moment, j'essaie d'apprendre à envoyer un texto avec mon foutu téléphone cellulaire. Cellulaire... drôle de mot ! Ça sonne comme cellule. Cellule de prison.

Cela dit, vous ne trouvez pas que vous êtes devenu **esclave de vos machines ?**

(Attendez-moi un instant, je reviens tout de suite ; je dois lire mes courriels.)

Tout nu !

Un jour, j'ai rencontré un Africain tout nu en Inde. Il m'a dit : « Pourquoi portes-tu des vêtements ? » Je lui ai répondu : « Pour me couvrir. » C'est là que ça m'a frappé. Me couvrir de quoi ? ! De honte ?

Protection, cachettes, mensonges... Lorsqu'on est nu, on est vrai.

Je ne vous dis pas de vous déshabiller dans la rue, mais simplement de **vous départir de vos cachettes.** Quand on parvient à se couvrir complètement, même le soleil ne nous atteint plus.

Lorsque vous êtes nu, seul, debout devant un miroir, vous trouvez-vous beau ou belle ? Non ? Alors, faites quelque chose, et vite.

La maladie

Vous êtes malade ? Chanceuse. Chanceux. Oui, vous avez de la chance. Parce que quand on se donne le droit d'être malade, c'est qu'on est sur le point de changer sa vie.

En fait, la question, c'est : « Pourquoi se rend-on malade ? » ***Il y a quatre raisons.***

La première raison, c'est qu'être malade permet de faire une pause socialement acceptable pour réfléchir à sa vie. La société accepte n'importe quoi lorsqu'une personne est malade ou se dit malade. Bonne stratégie.

La deuxième raison, se punir. Nous sommes notre pire juge. Même inconsciemment, nous nous punissons par des souffrances lorsque nous jugeons que nous en avons trop fait, que nous avons gaspillé trop de temps du mauvais côté de la clôture. Nous nous punissons. Les souffrances physiques, c'est une excellente méthode de paiement de dettes. Se couvrir de bobos, d'une lourde charge pondérale et de carapaces est une méthode terriblement efficace pour s'auto-punir.

La troisième raison d'être malade : prendre du recul pour trouver son rôle de vie. Parce que ne pas exercer son rôle de vie, c'est être malade *anyway*. C'est se faire souffrir chaque jour. Ne pas exercer son rôle de vie, c'est la pire des punitions. C'est la pire des prisons. C'est la pire des maladies.

La quatrième et dernière raison : on tombe malade pour ne plus être seul.

Récemment, une dame, fort belle d'ailleurs, est venue me voir en me disant qu'elle voulait perdre du poids. Pourquoi avait-elle pris du poids ? Pourquoi s'était-elle punie de la sorte ?... Elle m'a raconté que chaque semaine, elle voyait ses amies pour parler de la dernière technologie pour perdre du poids sans faire d'efforts, découverte dans un *talk-show* quelconque. Que sa meilleure amie préparait des recettes pour maigrir avec des herbes bios spéciales. Que ses amies et elle avaient commencé un nouveau cours de « yoga chaud »...

Ma réponse à cette dame : **« Ne perdez jamais de poids. c'est ce qui vous garde en vie. C'est ce qui vous lie à vos amies. »** Ses kilos superflus, c'était indirectement son loisir, son occasion de rencontrer ses amies. Si elle perdrait du poids, elle perdrait son cercle. La solution : proposer à ses amies un autre sujet d'intérêt commun ou trouver un autre groupe d'amies avec lesquelles échanger sur un tout autre sujet. Ensuite, seulement, cette dame pourrait s'autoriser à perdre du poids.

Les œuvres de bienfaisance

Le soleil, selon vous, il désire consciemment vous réchauffer, vous éclairer, faire pousser la végétation ? Non. Il brûle parce que c'est sa fonction. Et puisqu'il se consume, nous pouvons vivre.

Je sais que des cœurs sincères se battent chaque jour pour aider les autres. Je n'ai pas de problème avec le fait de vouloir assister les autres. Mais j'ai un sacré problème avec la fausse humilité. Sans ego, pas de vie.

Vous en voulez une bonne ?
Égoïsme = ***ego + is + me.***

Pourtant, c'est bien, l'égoïsme consommé avec modération. Quand on sait s'occuper de soi, notre bien-être rebondit sur notre entourage. Donc, une fois que vous êtes suffisamment égoïste pour décider de jouer le rôle qui vous convient, qui vous rend heureux, que vous acceptez de vous consumer comme le soleil en faisant ce qui vous fait perdre la notion du temps, vous rayonnez.

C'est le meilleur don. Une vraie œuvre de bienfaisance. Pas un abri fiscal. Une vraie fondation, sur laquelle tout le monde pourra bâtir son bonheur.

Le vrai combat

Gauche, droite, direct, jab, crochet, uppercut.

Voilà. C'est le sens de la vie.

On tombe.
On se relève.
On tombe encore.
On se relève encore.

Pourquoi ?
Pour le plaisir d'apprendre à se relever.

Debout ! Cessez de vous lamenter.
Levez-vous ! LEVEZ-VOUS !

S'écraser pour mieux se relever

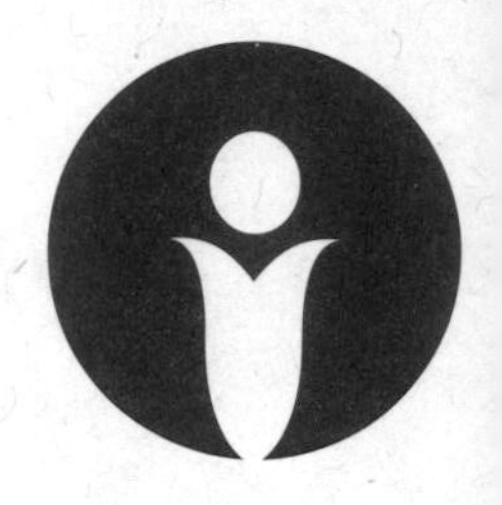

Faut-il avoir traversé un terrible accident, être tombé dans le coma, avoir frôlé la mort pour vivre une révélation ? Non. Mais ça aide.

Pour trouver la paix, ma recette :

1. Rebâtir son corps. Les postures de yoga, qu'on appelle *asanas,* c'est fait pour ça.

2. Découvrir, grâce à la réflexion profonde, qui l'on est. Découvrir qui se cache entre deux pensées. Qui êtes-vous ? Qui pense, et qui dort bien (ou mal) la nuit ? Qui ? Qui ?

3. Apprendre à s'écraser au sol pour perdre son ego. Pas l'ego qui nous permet d'exister ; celui-là, on en a besoin ! Il faut bien une bouche pour goûter le miel. Mais on doit apprendre l'humilité. J'en ai lavé, de la vaisselle, dans des temples de la terre, pour réaliser que je ne suis pas grand-chose. Mon ego intellectuel était si grand ! Moi qui ai obtenu les meilleurs résultats scolaires, qui ai remporté des championnats, récolté les honneurs de Mensa, etc. Le Grand Moi! *Bullshit*. Il n'y a pas de grand moi. Il n'y a que de grands serviteurs.

4. Chanter des mantras pour se purifier.

5. Goûter au miraculeux (qu'ils disent) **et perdre du poids.** D'abord son poids mental, puis son poids physique. Prenez note : le corps physique n'est qu'un reflet de votre corps mental.

6. *Se confronter, au final, à tous les endroits où l'on croit que Dieu n'est pas.* On bâtit sa foi sur de vraies expériences. Pas en mettant sa tête dans le sable ni en faisant le mouton.

J'appelle la procédure le « Tétra Yoga ». L'union des quatre pôles : le corps physique, le corps mental, le corps transcendantal et Dieu.

Maintenant, fumez ce que vous voulez pour digérer tout ça. Moi, je fume mes erreurs. Ça les brûle. Ça purifie.

Dormir en paix

Pour dormir en paix, il faut **avoir l'esprit tranquille.** Il faut avoir vidé son réservoir. Ne laissez rien trainer dans votre vie qui ne soit pas réglé. Ne vous couchez pas avec en tête quelque chose qui vous agresse, qui vous dérange, vous rend mal à l'aise, honteux, qui vous enrage.

Bien sûr, on peut dormir sur ses problèmes à l'occasion. Et il n'est pas toujours possible de tout régler avant la fin de la journée... D'ailleurs, un de mes maîtres m'a toujours dit qu'il fallait dormir sur ses problèmes pour parvenir à les régler. J'ai essayé, j'ai dormi sur ma femme... (Ben non, chérie, c'est une blague ! C'est elle qui a dormi sur moi.)

Sérieusement, je sais que c'est un peu cliché, mais vous devez essayer de vous coucher chaque soir comme si vous ne deviez jamais vous réveiller. Du moins, pas dans ce corps.

Vous devez régler vos comptes avec votre comptable intérieur chaque soir. Chaque soir, vivre le jugement dernier. Alors, vous dormirez.

Penser ses blessures, panser ses plaies

Et puis, on meurt seul. Il faut se pratiquer.

Le poète et philosophe américain Ralph Waldo Emerson, un de mes héros, disait : « Réussir sa vie, c'est réussir la prochaine heure. » Mais réussir sa vie, c'est aussi réussir sa prochaine mort !

Bien sûr, vous savez que vous allez mourir. Vous le savez théoriquement. Mais est-ce que vous vous entraînez pour vos dernières minutes, pour vos derniers instants de vie ? *Come on !* Ne me dites pas que vous serez entouré de personnes qui vous aiment, et qu'elles vont vous tenir la main au moment de votre décès.

« Pete, c'est pas très gai, comme texte. »

Non, mais c'est vrai. Vrai ! Pour profiter de la vie, ***il faut être prêt à la mort.*** Paradoxe. C'est la vie.

Donc, entraînez-vous. Endormez-vous chaque soir comme si c'était le dernier.

Le cimetière

Les morts.
Mes amis.
Mes conseillers.
Le *smashan* – le temple où apprendre la vie.
L'impermanence.
L'urgence.

Au bureau, vous avez des photos de vos enfants, de votre dernier souper d'anniversaire, du *party* de Noël de l'an passé.

Je vous suggère de remplacer tout ça par des photos de cadavres. Les morts sont votre vraie famille. Chaque matin, en regardant un crâne, vous comprendrez que vous devez bouger votre cul.

Vous comprendrez que votre temps sur terre est limité.

Que vous devez agir tout de suite.

Le vrai conseil d'administration, il est au cimetière. Lorsqu'on est entouré de mille personnes qui ont trop attendu, on se décide vite...

Le courage

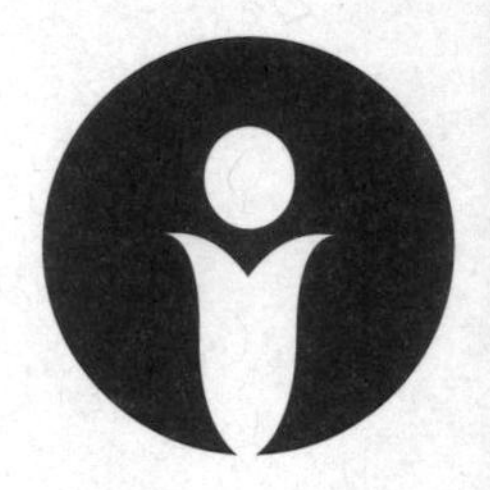

La rage au cou.

Toute vérité est bonne à dire.

On s'en fiche.

La vérité

Je crois en la réincarnation. Cette vie, c'est une page d'un livre. Une seule page. Pas si importante, la patente. Vous non plus, d'ailleurs. Ni moi.

Chacun croit qu'il est le seul à souffrir. J'ai rencontré près d'un demi-million de personnes au cours des trente dernières années. Vous croyez tous que vos malheurs sont pires que ceux des autres.

Non, non, non, non et non !

Tout le monde a eu un enfant prématurément. Ou a été agressé sexuellement. Ou a trompé son *chum*. Ou a caché de l'argent à l'impôt. Tout le monde a fait les poubelles. **Tout le monde.** Les faux pas, ce n'est pas le problème. Le vrai problème, ce sont les mensonges.

La vérité. *Satya* avant tout. *The truth shall set you free.*

Dites la vérité. Faites à présent la paix avec votre passé. C'est votre passé, il est juste à vous. Soyez-en fier, peu importe ce que vous avez fait. Vous avez vécu. Goûté. Testé. Brassé. Risqué. Mais vous avez vécu. Bravo. Bravo !

Maintenant, abandonnez-vous à la vérité. Sinon, pas de paix. Et sans paix, c'est une autre vie de souffrances qui vous attend au prochain tour.

Ce que nous sommes cons parfois !

Ma : Le destin, ou la vraie patente

« Pierre, suis-je lié par le destin ? Suis-je une marionnette de Dieu ? »

Oui.

« Pierre, suis-je libre de mes choix ? »

Oui.

« Tu déconnes ?! Comment puis-je être à la fois marionnette et libre ? »

Voici. Vous êtes au volant d'une voiture de formule 1. En arrêt. À zéro kilomètre à l'heure, vous êtes totalement libre. Libre d'avancer, de reculer, peu importe. Mais dès que vous choisissez d'appuyer sur le champignon, vous avancez. Et quand vous roulez à 300 kilomètres à l'heure, vous n'êtes plus aussi libre (en fait, vous l'êtes, mais si vous *shiftez* subitement sur le reculons, vous en mangerez une maudite...).

Le destin est le résultat direct de **votre utilisation du libre arbitre.** Votre choix. *Your call.* Votre faute. Votre responsabilité.

Le jour où vous aurez fini de faire vos demandes, lorsque vous brûlerez votre exemplaire de *Demandez et vous recevrez,* vous comprendrez que Ma, Dieu, a toujours eu en réserve pour vous des cadeaux bien plus beaux que vous l'imaginiez, plus beaux même que ce que vous croyiez possible.

Le jour où vous cessez d'envoyer votre liste au père Noël, c'est la mère Noël qui se met à vous combler.

Conclusion : pour être libre, il faut abandonner son libre arbitre. Il faut prendre place sur le siège du passager et dire : « Que ta volonté soit faite. »

Quand on y pense, les Écritures avaient peut-être tort. On aurait dû y lire : « Que ***ma*** volonté soit faite ! » La volonté de la mère divine, la volonté de Ma.

Ma volonté.

Jaya Ma !

Voilà, j'ai dit ce que j'avais à dire. Ça, c'est ce que j'ai découvert. En trente ans.

Je prie pour que vous le viviez maintenant.

Merci d'avoir pris le temps de me lire.

De **vous** lire !

Notes

Remerciements

Je tiens à remercier mes collaboratrices de la première heure, qui ont œuvré sur la version préliminaire de cet ouvrage : Audrey Thériault, Jessy Ann Hutchison et Line Paquette.

Merci à l'équipe des Éditions de l'Homme : Erwan Leseul et Laurence Hurtel à l'édition, Élyse-Andrée Héroux à la révision, Sylvie Massariol à la correction d'épreuves, Christine Hébert à la conception graphique, Sylvie Archambault aux relations de presse.

Table des matières

Vie professionnelle et commerciale

Vie personnelle

Pour joindre l'auteur

Vous avez des questions ou des commentaires à la suite de votre lecture ? Écrivez-nous à l'adresse suivante :

iletaitunefoi@pierremorency.com

Pour plus de renseignements sur les formations offertes par Pierre Morency et ses capitaines certifiés, ou pour obtenir une consultation privée de 15 minutes auprès d'un expert, rendez-vous au www.liguedusucces.com.

Du même auteur

La puissance du marketing révolutionnaire – Découvrez les règles secrètes du jeu, Montréal, Éditions Transcontinental, 2002.

Demandez et vous recevrez, Montréal, Éditions Transcontinental, 2002.

Les masques tombent, Montréal, Éditions Transcontinental, 2003.

Le cycle de rinçage – Vivre en couple pour les bonnes raisons, Montréal, Éditions Transcontinental, 2006.

Au nom du père, du fils et de la crème glacée, Montréal, Éditions Transcontinental, 2008.

Suivez-nous sur le Web

Consultez nos sites Internet et inscrivez-vous à l'infolettre pour rester informé en tout temps de nos publications et de nos concours en ligne. Et croisez aussi vos auteurs préférés et notre équipe sur nos blogues!

EDITIONS-HOMME.COM
EDITIONS-JOUR.COM
EDITIONS-PETITHOMME.COM
EDITIONS-LAGRIFFE.COM

Achevé d'imprimer au Canada
sur papier Enviro 100% recyclé